Des amours de petits chats

récits faciles et amusants
pour jeunes lecteurs
ou à raconter aux plus petits

Textes
de
PIERRE CORAN

Chantecler

CLÉOPÂTRE

Hier soir, madame Rosine a placé Cléopâtre dans un panier, puis s'est rendue au casino de la ville.

A l'entrée, une banderole annonçait :

"Ce soir, à 20 heures, concours du plus beau chat".

Dans la salle, le public était nombreux.

Le jury se trouvait derrière une longue table.

Le concours commença.

Une voix criait le nom du chat. Le chat appelé défilait sur la table. Les gens applaudissaient.

Les jurés notaient des points sur une ardoise.

Tout à coup, la voix cria : "Cléopâtre".

Aussitôt, madame Rosine posa sa chatte sur la table.

Cléopâtre s'avança fièrement, sans l'aide de madame Rosine. Le public battit des mains.

Alors ce fut la longue attente...

Vers vingt-deux heures trente, le président du jury monta sur une estrade et dit :

"Mesdames, Mesdemoiselles, Messieurs, j'ai le plaisir de vous annoncer les résultats du concours du plus beau chat de la ville. Le vainqueur est une chatte blanche. Son nom ? Cléopâtre !"

Sous les bravos, madame Rosine reçut une coupe et Cléopâtre un ruban tricolore autour du cou.

Depuis, les chats du quartier miaulent sous les fenêtres de madame Rosine. Ils sont tous amoureux de la belle Cléopâtre.

MOUSTIQUE

Moustique était un chaton comme il en est beaucoup.
Il vivait en paix chez Armand, l'horticulteur.
Un chat d'horticulteur ne s'ennuie jamais.
Il a de nombreux arbustes à sa disposition.
Aussi devient-il très vite un acrobate !
Moustique ne créait donc aucun problème.
Il mangeait de tout, il ne démolissait rien.
Mais aujourd'hui, ce n'est plus vrai.
Dimanche, un cirque s'est installé dans le village.
Une ménagerie a été parquée sur une prairie.
Et là, Moustique a vu un lion et deux panthères.
Depuis, le petit chat de l'horticulteur a changé.
Il griffe les coussins du salon.
Il pousse des cris, il tire la langue.
Il fait trembler ses moustaches.
Il donne des coups de patte.
Il ne veut plus manger que de la viande crue.
Moustique se prend pour un fauve.
Mais dans la maison, personne n'a peur de lui.
Même pas le perroquet !
L'épouse d'Armand est pourtant assez inquiète.
Son mari la rassure :
— Notre chat a dû être piqué par une abeille.
Un peu de patience, et ça lui passera !
L'horticulteur n'a sans doute pas tort.
Demain, le cirque quittera le village...

FILOU

Aujourd'hui, Filou s'est levé avec le soleil.
Depuis, il est à l'affût.
Pourquoi se cache-t-il ainsi ?
Est-il devenu peureux ?
Se prend-il pour un chat sauvage ?
Stéphane est le maître de Filou.
Il connaît bien son chat.
Lui seul sait pourquoi Filou passe son temps
à jouer à cache-cache.
Hier, à la télévision, Stéphane a regardé un film.
Filou était sur ses genoux.
Dans le film, un chien policier menait une enquête.
Il avait beaucoup de flair.
A la fin de l'histoire, le chien arrêta le bandit.
— Bravo ! s'écria Stéphane. Quel chien !
Filou a tout vu, il a tout entendu,
surtout le bravo de Stéphane.
Alors, il a décidé d'être un chat agent secret.
Comme le chien dans le film, il mène son enquête.
Il surveille la maison et le jardin.
Tantôt, il a pris le laitier pour un bandit.
Il s'est élancé vers lui, toutes griffes dehors.
Le laitier lui a donné un coup de casquette.
...Et Filou a été forcé de se recacher.
Mais il ne s'avoue pas vaincu.
Filou va repartir à l'attaque. Il attend le facteur.

GIROUETTE

Monsieur Eugène exerce un métier dangereux.
Il est dresseur de chiens.
Il ne dresse pas des petits chiens de cirque.
Monsieur Eugène s'occupe des grands chiens.
Il en fait des chiens de piste et de garde.
Dans le quartier, les gens sourient.
Ils trouvent monsieur Eugène plutôt original.
En effet, le dresseur de chiens n'a pas de chien.
...Mais il possède un chat.
C'est un chaton au dos noir et au ventre blanc.
Monsieur Eugène l'a adopté au refuge.
Il l'a appelé Girouette.
Monsieur Eugène a bien choisi le nom de son chat.
Girouette se trouve souvent dans un arbre.
De là-haut, il voit les chiens qui travaillent.
Il les suit du regard, si bien que le chat d'Eugène
a la tête qui tourne...comme une girouette !
Girouette ne s'ennuie jamais.
Et puis, sur son arbre, il est en sécurité.
Un chien ne peut pas grimper aux arbres.
A la fin du dressage, Girouette quitte son perchoir.
Alors, toute la prairie est à lui.
Il court, traverse des tuyaux tel un bolide.
Il franchit les obstacles des parcours.
Avec ses griffes, il va plus vite que les chiens.
Girouette, lui, n'a pas besoin de dresseur.

ESPION

Madame Mariette est la concierge du château.
Poupousse est son jeune chat.
Poupousse est un nom banal pour un chaton.
Les gens du quartier lui ont donné un autre nom.
Ils l'ont surnommé : "Espion".
Il faut savoir que madame Mariette est curieuse.
La concierge veut être au courant de tout :
de la vie du château...et de celle des voisins.
De sa loge, elle épie tout le monde.
Son chat lui ressemble.
Il est toujours à l'affût quelque part.
Espion est donc un nom qui lui va bien.
Aujourd'hui, il ne quitte pas le jardin de Gustave.
Gustave est le jardinier du château.
Il s'entoure de fleurs qui sont belles.
Certaines sentent très bon.
Espion les connaît ; il les respire.
Mais pendant que son nez se parfume, ses yeux
surveillent Gustave. Car Gustave prépare
le manger de ses deux chats...
Espion sait que les matous du jardinier sont,
pour le moment, du côté du château.
Hier, ils ont mangé son assiettée de viande.
Aujourd'hui, Espion tient sa revanche.
Dès que Gustave posera l'écuelle remplie au pied
de la serre, Espion se régalera...

BIGOUDI

Bigoudi est le chat de Nathalie.
C'est un chat plutôt bizarre.
Dès qu'il se voit dans un miroir, il se sauve.
Il évite les flaques d'eau trop claire.
Il ne se regarde jamais dans une vitre.
Bigoudi fuit son image.
A-t-il vraiment peur de lui-même ?
Hier, Nathalie a été invitée à un bal masqué.
Elle est restée longtemps devant sa coiffeuse.
Elle s'est maquillée comme un artiste.
Sur une joue, à l'aide d'un crayon spécial,
elle a dessiné un point noir.
Géraldine, l'amie de Nathalie, s'est écriée :
— Ton grain de beauté est formidable !
Vite, elle s'en est dessiné un sur une joue.
Bigoudi a réagi. Il ignorait qu'un point noir
est aussi appelé grain de beauté.
Maintenant, il le sait.
Depuis, il ne se croit plus laid. Il court
des vitres de la serre à la glace dans le hall.
Il veut se voir, se regarder, se contempler...
Car Bigoudi, lui aussi, a un grain de beauté.
Pas un point noir dessiné avec un crayon spécial !
Non !...Un vrai grain de beauté !
Pas sur la joue comme Nathalie et Géraldine !
Non !...Bigoudi a son grain de beauté sur le nez.

BLEUET

Le chat de Pol est blanc, roux et noir.
Il a des yeux gris et un nez rose.
Et pourtant, il s'appelle Bleuet.
Depuis qu'il est venu au monde,
Bleuet aime tout ce qui est bleu.
Quand il fait du soleil, il passe des heures
à contempler le ciel.
Il va souvent du côté de la rivière.
Et là, il regarde couler l'eau bleue.
Pol est quand même assez surpris.
Son chat est plutôt original.
Mais les goûts et les couleurs,
ça ne se discute pas.
Dès lors, Pol joue le jeu.
Il veut faire plaisir à son chat.
Il lui a offert un panier d'osier bleu,
une couverture bleue, une écuelle bleue.
Bleuet a aussi reçu une boule de ficelle.
Comme il se doit, la boule est bleue.
Bleuet est ravi. Il aime tant cette couleur
qu'il rêve d'être un chat bleu.
Alors, il déroule la boule et s'enroule,
s'enroule dans la ficelle bleue.
Lorsqu'il est trop ficelé, Bleuet miaule.
...Et Pol vient le délivrer.
Mais dès le lendemain, Bleuet recommence...

PETIOT

Madame Yvonne, la fermière, a six chats.
Petiot est le sixième.
Il est aussi le plus petit, le dernier-né.
Petiot a vu le jour dans la grange.
La première odeur qu'il respira fut le parfum
de la paille sèche.
Depuis, le sixième chat de la fermière préfère
vivre dans la grange.
Il ne joue pas souvent avec les autres chats.
A la ferme, Petiot a la réputation d'être un chat
paresseux donc inutile.
Ce n'est pas tout à fait vrai.
Ce n'est pas tout à fait faux.
Madame Yvonne aime bien son plus petit chat.
Peut-être parce qu'il est différent des autres !
Petiot s'amuse mieux dans la grange que
dans la cour ou dans les étables.
Dans la paille, il n'est jamais seul.
Il y a aussi des souris et même des rats.
De temps en temps, une araignée tombe du plafond.
Elle tisse une toile entre les brins de maïs.
Bien vite, des mouches sont prises au piège.
Alors, l'araignée les emporte dans son garde-manger.
Petiot, en admiration, oublie de chasser les souris.
Aussi, quand Petiot rentre enfin à la ferme,
c'est tout simplement parce qu'il a faim...

RUBIS

Rubis est un très jeune chat.
Il ne vit que depuis quelques jours.
Il est né chez Maud, la fille de l'infirmière.
Maud aime beaucoup son petit chat.
Peut-être même un peu trop !
Maud imite souvent sa maman.
Elle joue à l'infirmière.
Rubis est évidemment le malade.
Alors Maud veut lui donner du sirop.
Elle dit qu'ainsi Rubis n'aura pas de rhume.
Elle désire que le chaton prenne le biberon.
Maud prétend que Rubis sera plus vite grand.
Hier, elle a même tenté de laver son chat
dans la baignoire.
Heureusement, Maman est arrivée à temps...
Maud a été grondée. Maman lui a expliqué
qu'un chat n'est pas une poupée.
Depuis, Maud est plus calme.
Elle caresse Rubis avec précaution.
Et Rubis ronronne de plaisir.
Il se sent bien dans les bras de Maud.
Parfois même il s'y endort...
Alors Maud ne bouge plus, ne parle plus.
Elle regarde son chat avec amour.
Maud joue encore à l'infirmière,
mais maintenant elle fait semblant...

TIC ET TAC

Jérôme habite à la campagne depuis deux jours.
Ses parents ont restauré une ferme.
A l'école du village, Jérôme ne connaît personne.
Il trouve que la campagne est ennuyeuse.
Hier, au cours d'élocution, il a parlé de sa ferme
et des souris qui grattent partout.
Jérôme n'a pas peur d'elles. Il l'a dit bien haut.
Tantôt, quelqu'un a actionné la cloche de la ferme.
Vite, Jérôme a couru vers la grille d'entrée.
Il n'a trouvé là qu'une boîte de carton.
— C'est peut-être l'horloge ! se dit Jérôme.
Ses parents en ont commandé une chez l'antiquaire.
Jérôme ouvre le carton à trous avec précaution.
Et qu'y trouve-t-il ? Deux chatons noirs et blancs.
Et une lettre : "Cher Jérôme, monsieur Clément et
toute la classe te souhaitent la bienvenue.
Deux chats dans une ferme, ce n'est pas trop !"
Sous le texte suivent vingt-quatre prénoms.
Plus la signature de l'instituteur !
Jérôme est ému. Il vient d'avoir treize copines
et onze copains, d'un seul coup !
Jérôme saute de joie. Il crie aux chatons étonnés :
"Bonjour, horloge à moustaches ! Toi, tu t'appelleras
Tic et toi, Tac !"
Jérôme est content : jamais plus il ne s'ennuiera
à la campagne.

PIF ET PAF

Pif et Paf sont les chats d'un pêcheur en mer.
Dans le port, les marins s'interrogent.
Lequel est Pif ? Lequel est Paf ?
Bien malin qui peut vraiment les reconnaître !
Pif et Paf aiment beaucoup le poisson.
Quand ils ont le ventre gros, ils dorment.
Après la sieste, ils s'amusent.
Pif et Paf ont un jeu favori.
Ils jouent à la boule qui roule.
Sur le bateau, les boules de corde ne manquent pas.
Le pêcheur en a besoin pour réparer ses filets.
Hop ! Pif pousse une boule.
Hop, Paf prend le relais
Hop ! Hop ! La boule roule, roule...
Pif la rattrape et se glisse à l'intérieur.
— Pousse-moi ! Pousse-moi ! miaule Pif.
...Mais Paf est déjà fatigué.
C'est encore un très petit chat.
Hop ! Il saute sur la boule.
...Et là-haut, il se repose.
— Pousse-moi ! Pousse-moi ! répète Pif.
Paf fait la sourde oreille.
Il aimerait bien être dans la boule.
Alors, il attend que Pif se fâche.
Si Pif se met en colère, il sortira de la boule.
Et hop ! Paf prendra la place de Pif.